La noisette

par Éric Battut...

Didier Jeunesse

Didier Jeunesse, 2013 pour la présente édition
Didier Jeunesse, 2011 pour le texte et les illustrations
62, rue Saint-André-des-Arts, 75006 Paris
w.didier-jeunesse.com – Photogravure : Jouve Orléans et IGS-CP
N : 978-2-278-07602-4 – Dépôt légal : 7602/03
n°49-956 du 16 juillet 1949 sur les publications destinées à la jeunesse
evé d'imprimer en France en août 2017 chez Clerc
nt-Amand-Montrond), imprimeur labellisé Imprim'Vert,
papier composé de fibres naturelles renouvelables, recyclables,
iquées à partir de bois issus de forêts gérées durablement.

PAPIER À BASE DE FIBRES CERTIFIÉES

Didier Jeunesse s'engage pour l'environnement en réduisant l'empreinte carbone de ses livres. Celle de cet exemplaire est de :

300 g éq. CO_2

Rendez-vous sur www.didierjeunesse-durable.fr

– Oh! La belle noisette! dit Souris verte.
Je vais la casser et je la mangerai.

Souris verte saute, saute sur la noisette.
Elle a beau sauter, la noisette ne veut pas se casser.

– Hé! La tortue! Tu viens m'aider?
– Oui, dit la tortue.

La tortue et Souris verte sautent, sautent sur la noisette.
Elles ont beau sauter, la noisette ne veut pas se casser.

- Hé! Le lapin! Tu viens nous aider?
- Oui, dit le lapin.

Le lapin, la tortue et Souris verte sautent, sautent sur la noisette. Ils ont beau sauter, la noisette ne veut pas se casser.

– Hé! Le zèbre! Tu viens nous aider?
– Oui, dit le zèbre.

Le zèbre, le lapin, la tortue et Souris verte
sautent, sautent sur la noisette.
Ils ont beau sauter, la noisette ne veut pas se casser.

- Hé! Le lion! Tu viens nous aider?
- Oui, dit le lion.

Le lion, le zèbre, le lapin, la tortue
et Souris verte sautent, sautent sur la noisette.
Ils ont beau sauter, la noisette ne veut pas se casser.

– Hé! L'éléphant! Tu viens nous aider?
– Oui, dit l'éléphant.

L'éléphant, le lion, le zèbre, le lapin, la tortue
et Souris verte sautent, sautent sur la noisette.

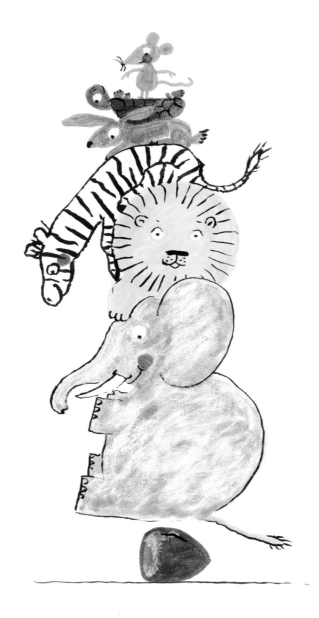

Oh! La voilà qui bouge, la noisette!
La voilà qui roule...

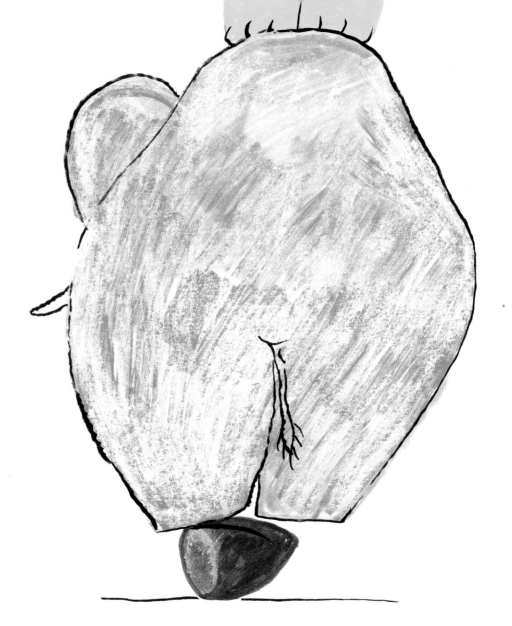

... et tout le monde tombe !

– Holà ! dit l'asticot.
C'est pas bientôt fini, tout ce bruit ?
– Euh... dit Souris verte, bien embêtée,
on ne voulait pas te déranger.

Le lendemain, pour se faire pardonner, l'éléphant, le lion, le zèbre, le lapin, la tortue et Souris verte se sont tous retrouvés avec un petit cadeau devant la maison de monsieur l'asticot.

– Merci, les amis ! dit l'asticot.
J'ai préparé un bon gâteau. On va faire la fête !

Après s'être régalés,
ils sont repartis sans un bruit,
et monsieur l'asticot a dormi
pendant trois jours et trois nuits.

Les P'tits Didier

Des livres câlins à mettre entre toutes les mains !

Le Secret
É. Battut

Oh! La Belle Lune
É. Battut

Veux-tu être mon ami ?
É. Battut

Le Machin
S. Servant - C. Bonbon

Ours qui lit
É. Pintus - M. Bourre

**La Grosse Faim
de P'tit Bonhomme**
P. Delye - C. Hudrisier

**Le P'tit Bonhomme
des bois**
P. Delye - M. Bourre

La Petite Poule Rousse
P. Delye - C. Hudrisier

**Les Deniers
de Compère Lapin**
M. Simonsen - M. Le Huche

Monsieur p'tit sou
E. Cannard

**La Grenouille
à grande bouche**
F. Vidal - É. Nouhen

**Retrouvez les plus belles
histoires de Didier Jeunesse
au format poche !**

56 titres disponibles
pour les tout-petits
et les plus grands.

www.didier-jeunesse.co